Firefly

AF798353

MY Skill BOOK 1

Hindi - 2

Name: ____________________

Std.: __________ Div.: __________ Roll No.: __________

School: ____________________

Firefly Books

Index

Firefly Books

(Logo and Trademark are the properties of Chetana Education Limited)

Published by: Chetana Education Limited

Registered Office : 'B' Block, 'E' Wing, 4th Floor, Trade Link, Kamala City, Lower Parel, Mumbai : 400 013.

Tel : +91-22-6121 6000 • **E-mail :** inquiry@chetanaeducation.com • **Website :** www.chetanaeducation.com

Code: FFS143

ISBN: 978-93-6656-299-5

Printed at: Graphic Printers, Sewri, Mumbai

FFS1430425

Classwork

स्वर 'अ - ई'

पढ़ो, अनुरेखन करो और लिखो। (Read, Trace and Write.)

अ आ इ ई

Homework

स्वर 'अ - ई'

पढ़ो, अनुरेखन करो और लिखो। (Read, Trace and Write.)

अ आ इ ई

Classwork

स्वर 'उ - ऐ'

पढ़ो, अनुरेखन करो और लिखो। (Read, Trace and Write.)

उ ऊ ऋ ए ऐ

Homework

स्वर 'उ - ऐ'

पढ़ो, अनुरेखन करो और लिखो। (Read, Trace and Write.)

उ ऊ ऋ ए ऐ

Classwork

स्वर 'ओ – अः'

पढ़ो, अनुरेखन करो और लिखो। (Read, Trace and Write.)

ओ औ अं अः

Homework

स्वर 'ओ – अः'

पढ़ो, अनुरेखन करो और लिखो। (Read, Trace and Write.)

ओ औ अं अः

Classwork

स्वर

पढ़ो, अनुरेखन करो और लिखो। (Read, Trace and Write.)

अ आ इ ई

उ ऊ ऋ

ए ऐ ओ औ

अं अः

Homework

स्वर

पढ़ो और रंग भरो। (Read and Colour the picture)

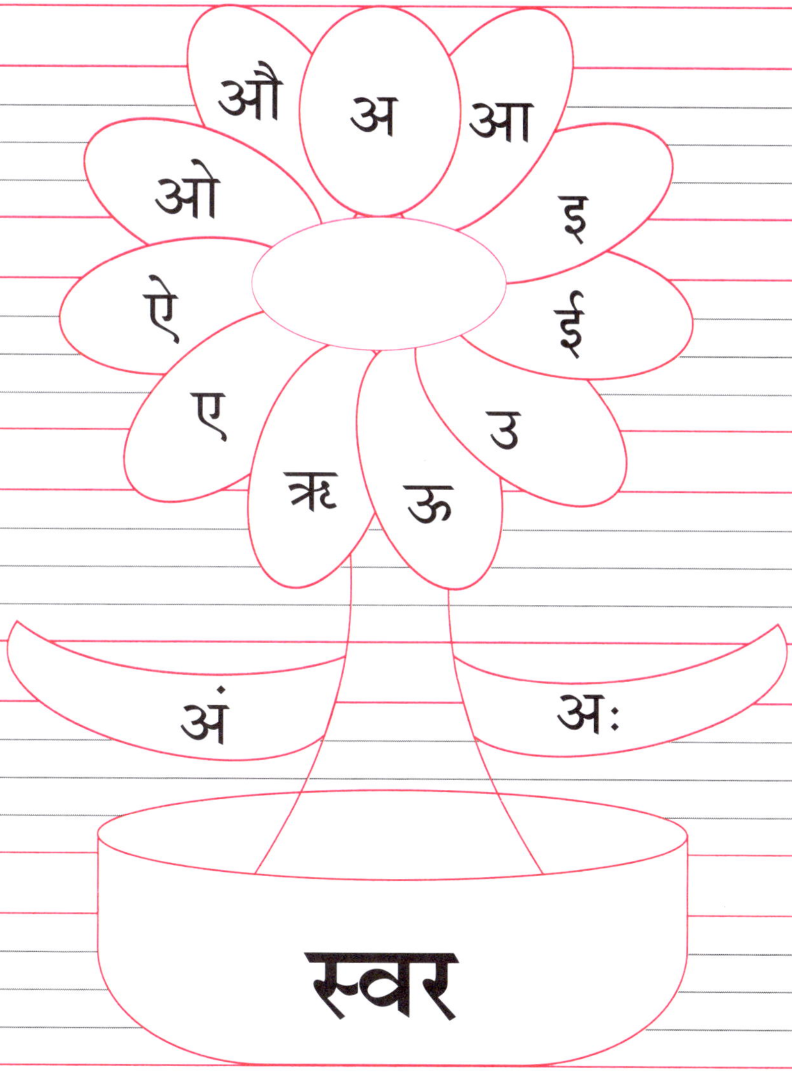

Classwork

व्यंजन 'क'

कमल

पढ़ो, अनुरेखन करो और लिखो। (Read, Trace and Write.)

क	।	व	क	क

Homework

व्यंजन 'क'

पढ़ो, अनुरेखन करो और लिखो। (Read, Trace and Write.)

Classwork

व्यंजन 'ख'

पढ़ो, अनुरेखन करो और लिखो। (Read, Trace and Write.)

ख

खरगोश

Homework

व्यंजन 'ख'

पढ़ो, अनुरेखन करो और लिखो। (Read, Trace and Write.)

Classwork

व्यंजन 'ग'

पढ़ो, अनुरेखन करो और लिखो। (Read, Trace and Write.)

ग ग

गमला

Homework

व्यंजन 'ग'

पढ़ो, अनुरेखन करो और लिखो। (Read, Trace and Write.)

Classwork

व्यंजन 'घ'

पढ़ो, अनुरेखन करो और लिखो। (Read, Trace and Write.)

घ ध घ घ

घर

Homework

व्यंजन 'घ'

पढ़ो, अनुरेखन करो और लिखो। (Read, Trace and Write.)

Classwork

व्यंजन 'ङ'

पढ़ो, अनुरेखन करो और लिखो। (Read, Trace and Write.)

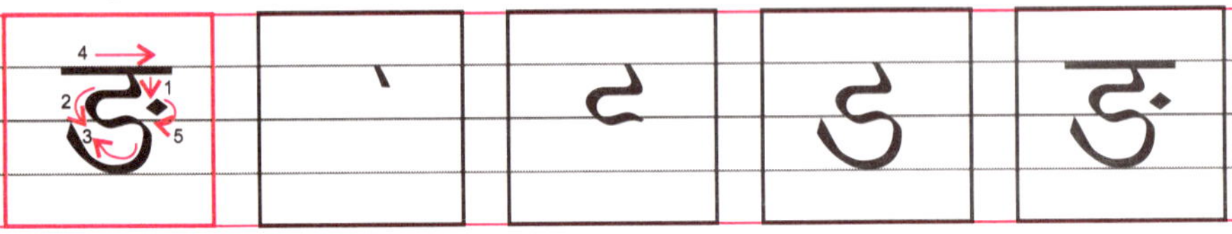

Homework

व्यंजन 'ङ'

पढ़ो, अनुरेखन करो और लिखो। (Read, Trace and Write.)

Classwork

व्यंजन 'क-ङ'

पढ़ो, अनुरेखन करो और लिखो। (Read, Trace and Write.)

क ख ग घ ङ

क ख ग घ ङ

Homework

व्यंजन 'क-ङ'

पढ़ो, अनुरेखन करो और लिखो। (Read, Trace and Write.)

क ख ग घ ङ

Classwork

श्रुतलेख (Dictation) :

Homework

नीचे दिए गए चित्रों को अक्षरों से मिलाओ। (Match the pictures to the correct letter)

क

ख

ग

घ

Classwork

व्यंजन 'च'

पढ़ो, अनुरेखन करो और लिखो। (Read, Trace and Write.)

च	–		च	च

चम्मच

Homework

व्यंजन 'च'

पढ़ो, अनुरेखन करो और लिखो। (Read, Trace and Write.)

Classwork

व्यंजन ‘छ’

छाता

पढ़ो, अनुरेखन करो और लिखो। (Read, Trace and Write.)

छ छ छ छ छ

Homework

व्यंजन 'छ'

पढ़ो, अनुरेखन करो और लिखो। (Read, Trace and Write.)

Classwork

व्यंजन 'ज'

जहाज़

पढ़ो, अनुरेखन करो और लिखो। (Read, Trace and Write.)

ज

Homework

व्यंजन 'ज'

पढ़ो, अनुरेखन करो और लिखो। (Read, Trace and Write.)

Classwork

व्यंजन 'झ'

पढ़ो, अनुरेखन करो और लिखो। (Read, Trace and Write.)

झ झ झ

झंडा

Homework

व्यंजन 'झ'

पढ़ो, अनुरेखन करो और लिखो। (Read, Trace and Write.)

झ झ झ झ झ

Classwork

व्यंजन 'ञ'

पढ़ो, अनुरेखन करो और लिखो। (Read, Trace and Write.)

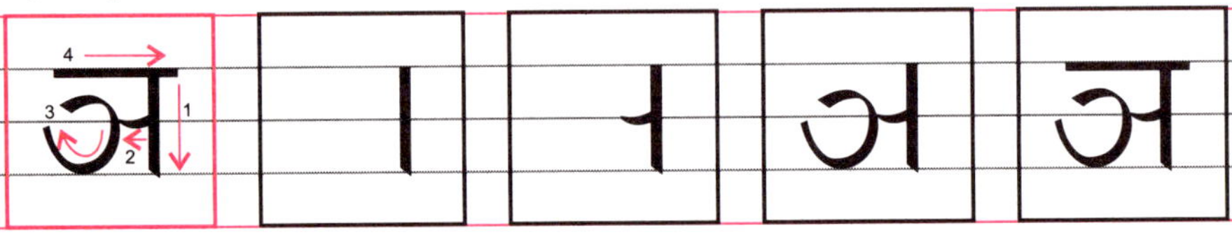

ञ

Homework

व्यंजन 'ञ'

पढ़ो, अनुरेखन करो और लिखो। (Read, Trace and Write.)

Classwork

व्यंजन 'च-ञ'

पढ़ो, अनुरेखन करो और लिखो। (Read, Trace and Write.)

च छ ज झ ञ

Homework

व्यंजन 'च-ञ'

पढ़ो, अनुरेखन करो और लिखो। (Read, Trace and Write.)

च छ ज झ ञ

Classwork

श्रुतलेख (Dictation)

Homework

नीचे दिए गए चित्रों को अक्षरों से मिलाओ। (Match the pictures to the correct letter)

च

छ

ज

झ

Classwork

व्यंजन 'ट'

पढ़ो, अनुरेखन करो और लिखो। (Read, Trace and Write.)

ट 1 2 3 | । | ट | ट

टमाटर

Homework

व्यंजन 'ट'

पढ़ो, अनुरेखन करो और लिखो। (Read, Trace and Write.)

Classwork

व्यंजन 'ठ'

पढ़ो, अनुरेखन करो और लिखो। (Read, Trace and Write.)

ठठेरा

Homework

व्यंजन 'ठ'

पढ़ो, अनुरेखन करो और लिखो। (Read, Trace and Write.)

Classwork

व्यंजन 'ड'

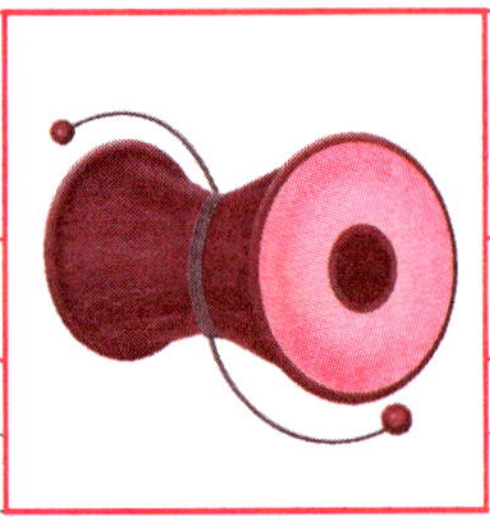

डमरू

पढ़ो, अनुरेखन करो और लिखो। (Read, Trace and Write.)

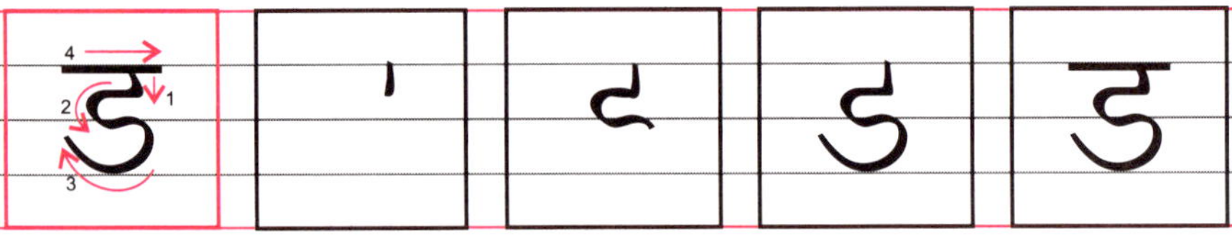

Homework

व्यंजन 'ड'

पढ़ो, अनुरेखन करो और लिखो। (Read, Trace and Write.)

Classwork

व्यंजन 'ढ'

पढ़ो, अनुरेखन करो और लिखो। (Read, Trace and Write.)

ढ

ढक्कन

Homework

व्यंजन 'ढ'

पढ़ो, अनुरेखन करो और लिखो। (Read, Trace and Write.)

Classwork

व्यंजन 'ण'

पढ़ो, अनुरेखन करो और लिखो। (Read, Trace and Write.)

ण

Homework

व्यंजन 'ण'

पढ़ो, अनुरेखन करो और लिखो। (Read, Trace and Write.)

Classwork

व्यंजन 'ट-ण'

पढ़ो, अनुरेखन करो और लिखो। (Read, Trace and Write.)

ट ठ ड ढ ण

Homework

व्यंजन 'ट–ण'

पढ़ो, अनुरेखन करो और लिखो। (Read, Trace and Write.)

ट ठ ड ढ ण

Classwork

श्रुतलेख (Dictation)

Homework

चित्रों को अक्षरों से मिलाओ। (Match the pictures to the correct letters)

 • • ट

 • • ठ

 • • ड

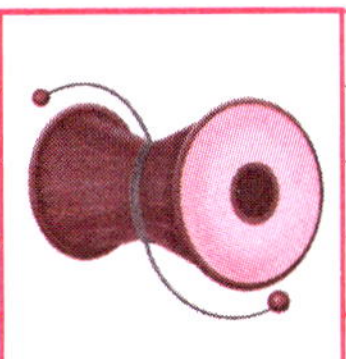 • • ढ

Classwork

व्यंजन 'त'

तरबूज

पढ़ो, अनुरेखन करो और लिखो। (Read, Trace and Write.)

त	।	त	त

Homework

व्यंजन 'त'

पढ़ो, अनुरेखन करो और लिखो। (Read, Trace and Write.)

Classwork

व्यंजन 'थ'

थरमस

पढ़ो, अनुरेखन करो और लिखो। (Read, Trace and Write.)

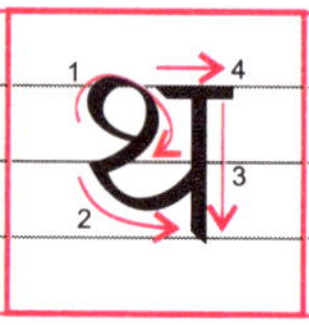

थ थ

Homework

व्यंजन 'थ'

पढ़ो, अनुरेखन करो और लिखो। (Read, Trace and Write.)

थ थ थ थ थ

थ थ थ थ थ

Classwork

व्यंजन 'द'

१०

दस

पढ़ो, अनुरेखन करो और लिखो। (Read, Trace and Write.)

द	་	ट	द	द

Homework

व्यंजन 'द'

पढ़ो, अनुरेखन करो और लिखो। (Read, Trace and Write.)

Classwork

व्यंजन 'ध'

पढ़ो, अनुरेखन करो और लिखो। (Read, Trace and Write.)

ध | ध

धन

Homework

व्यंजन 'ध'

पढ़ो, अनुरेखन करो और लिखो। (Read, Trace and Write.)

ध ध ध ध ध

ध ध ध ध ध

Classwork

व्यंजन 'न'

नल

पढ़ो, अनुरेखन करो और लिखो। (Read, Trace and Write.)

न न न

Homework

व्यंजन 'न'

पढ़ो, अनुरेखन करो और लिखो। (Read, Trace and Write.)

Classwork

व्यंजन 'त–न'

पढ़ो, अनुरेखन करो और लिखो। (Read, Trace and Write.)

त थ द ध न

Homework

व्यंजन ‘त–न’

पढ़ो, अनुरेखन करो और लिखो। (Read, Trace and Write.)

त थ द ध न

Classwork

श्रुतलेख (Dictation)

Homework

नीचे दिए गए चित्रों को अक्षरों से मिलाओ। (Match the pictures to the correct letter)

	•	•	त
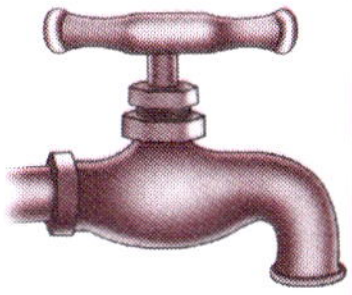	•	•	थ
	•	•	द
१०	•	•	ध
	•	•	न

Classwork

व्यंजन 'प'

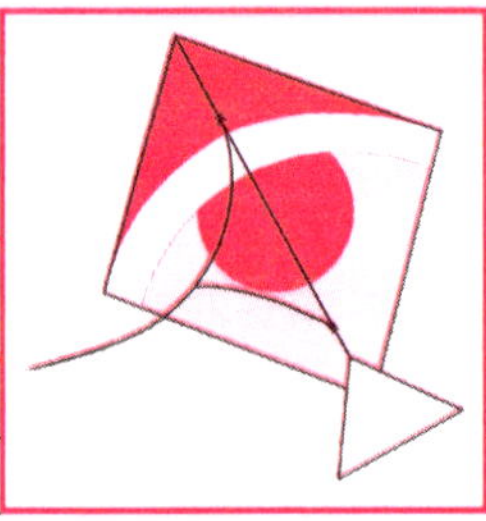

पतंग

पढ़ो, अनुरेखन करो और लिखो। (Read, Trace and Write.)

प	प	प	प

Homework

व्यंजन 'प'

पढ़ो, अनुरेखन करो और लिखो। (Read, Trace and Write.)

Classwork

C [redacted]

व्यंजन 'फ'

फल

पढ़ो, अनुरेखन करो और लिखो। (Read, Trace and Write.)

फ		प	फ	फ

Homework

व्यंजन 'फ'

पढ़ो, अनुरेखन करो और लिखो। (Read, Trace and Write.)

Classwork

व्यंजन 'ब'

बस

पढ़ो, अनुरेखन करो और लिखो। (Read, Trace and Write.)

ब	।	व	ब	ब

Homework

व्यंजन 'ब'

पढ़ो, अनुरेखन करो और लिखो। (Read, Trace and Write.)

Classwork

व्यंजन 'भ'

पढ़ो, अनुरेखन करो और लिखो। (Read, Trace and Write.)

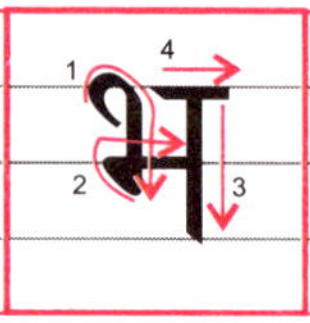

ी	᠐	भ	भ

भवन

Homework

व्यंजन 'भ'

पढ़ो, अनुरेखन करो और लिखो। (Read, Trace and Write.)

भ भ भ भ भ

भ भ भ भ भ

Classwork

व्यंजन 'म'

पढ़ो, अनुरेखन करो और लिखो। (Read, Trace and Write.)

म

मगर

Homework

व्यंजन 'म'

पढ़ो, अनुरेखन करो और लिखो। (Read, Trace and Write.)

। म म म

म म म म म

Classwork

व्यंजन 'प–म'

पढ़ो, अनुरेखन करो और लिखो। (Read, Trace and Write.)

प फ ब भ म

Homework

व्यंजन 'प-म'

पढ़ो, अनुरेखन करो और लिखो। (Read, Trace and Write.)

प फ ब भ म

Classwork

श्रुतलेख (Dictation)

Homework

नीचे दिए गए चित्रों को वर्णों से मिलाओ। (Match the pictures to the correct letter)

 • • प

 • • फ

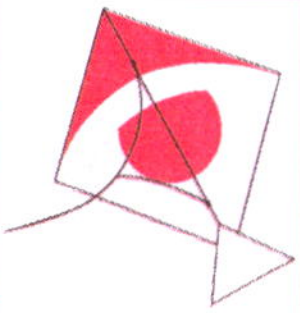 • • ब

 • • भ

 • • म

Classwork

व्यंजन 'य'

यज्ञ

पढ़ो, अनुरेखन करो और लिखो। (Read, Trace and Write.)

य

य य

य य य

य य य य य

Homework

व्यंजन 'य'

पढ़ो, अनुरेखन करो और लिखो। (Read, Trace and Write.)

Classwork

व्यंजन 'र'

रस

पढ़ो, अनुरेखन करो और लिखो। (Read, Trace and Write.)

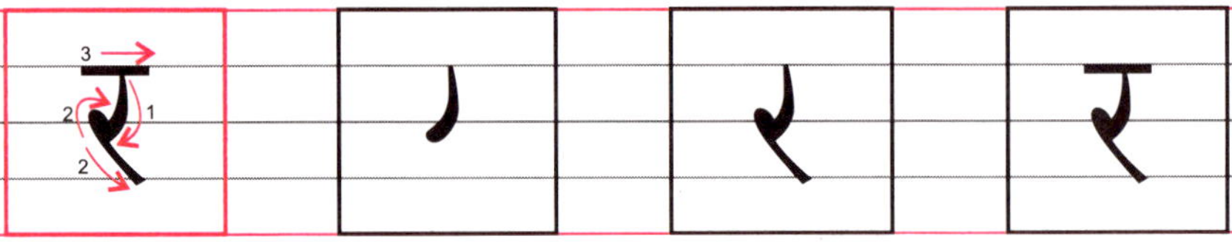

Homework

व्यंजन 'र'

पढ़ो, अनुरेखन करो और लिखो। (Read, Trace and Write.)

Classwork

व्यंजन 'ल'

पढ़ो, अनुरेखन करो और लिखो। (Read, Trace and Write.)

ल

लड़का

Homework

व्यंजन 'ल'

पढ़ो, अनुरेखन करो और लिखो। (Read, Trace and Write.)

ल ल ल

ल ल ल ल ल

Classwork

व्यंजन 'व'

पढ़ो, अनुरेखन करो और लिखो। (Read, Trace and Write.)

व	।	व	व

वन

Homework

व्यंजन 'व'

पढ़ो, अनुरेखन करो और लिखो। (Read, Trace and Write.)

Classwork

व्यंजन 'य-व'

पढ़ो, अनुरेखन करो और लिखो। (Read, Trace and Write.)

य र ल व

Homework

व्यंजन 'य-व'

पढ़ो, अनुरेखन करो और लिखो। (Read, Trace and Write.)

य र ल व

Classwork

श्रुतलेख (Dictation)

Homework

चित्रों को अक्षरों से मिलाओ। (Match the pictures to the correct letter)

 य

 र

 ल

 व

Classwork

व्यंजन 'श'

पढ़ो, अनुरेखन करो और लिखो। (Read, Trace and Write.)

श	श	श	श	श

शलगम

श श श श श

Homework

व्यंजन 'श'

पढ़ो, अनुरेखन करो और लिखो। (Read, Trace and Write.)

श श श श श

श श श श श

Classwork

व्यंजन 'ष'

पढ़ो, अनुरेखन करो और लिखो। (Read, Trace and Write.)

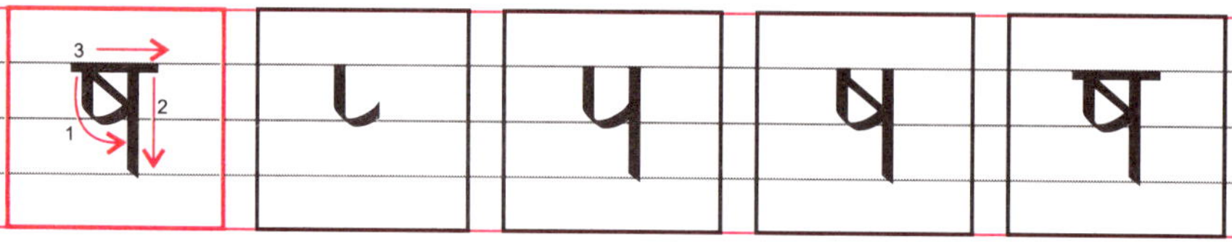

षट्कोण

Homework

व्यंजन 'ष'

पढ़ो, अनुरेखन करो और लिखो। (Read, Trace and Write.)

व्यंजन 'स'

पढ़ो, अनुरेखन करो और लिखो। (Read, Trace and Write.)

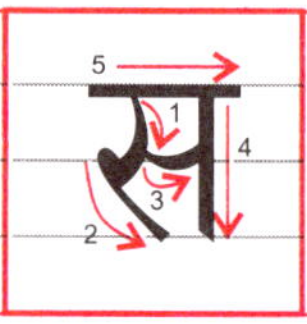

स स

सड़क

Homework

व्यंजन 'स'

पढ़ो, अनुरेखन करो और लिखो। (Read, Trace and Write.)

Classwork

व्यंजन 'ह'

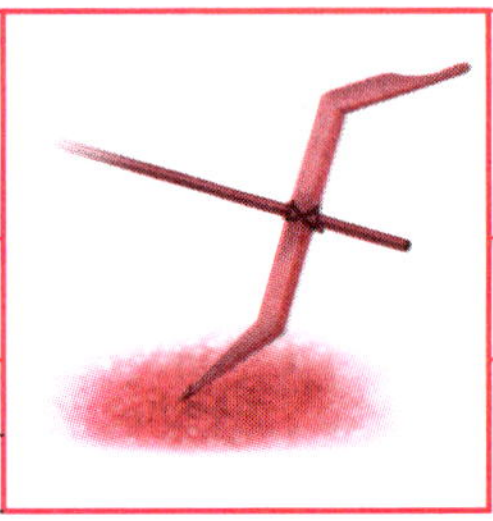

पढ़ो, अनुरेखन करो और लिखो। (Read, Trace and Write.)

ह	ॱ	ऽ	ह	ह

हल

Homework

व्यंजन 'ह'

पढ़ो, अनुरेखन करो और लिखो। (Read, Trace and Write.)

Classwork

व्यंजन 'क्ष'

क्षत्रिय

पढ़ो, अनुरेखन करो और लिखो। (Read, Trace and Write.)

क्ष	।	क्ष	क्ष	क्ष

Homework

व्यंजन 'क्ष'

पढ़ो, अनुरेखन करो और लिखो। (Read, Trace and Write.)

Classwork

व्यंजन 'त्र'

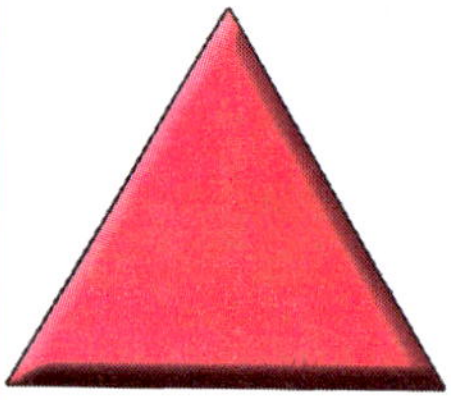

त्रिकोण

पढ़ो, अनुरेखन करो और लिखो। (Read, Trace and Write.)

त्र । त्र त्र

Homework

व्यंजन 'त्र'

पढ़ो, अनुरेखन करो और लिखो। (Read, Trace and Write.)

Classwork

व्यंजन 'ज्ञ'

पढ़ो, अनुरेखन करो और लिखो। (Read, Trace and Write.)

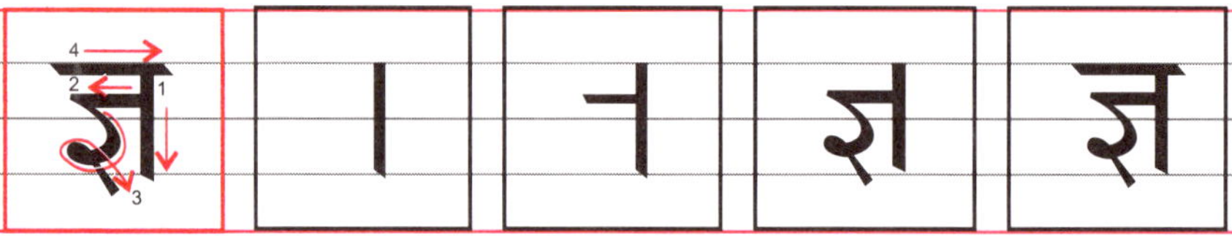

ज्ञानी

Homework

व्यंजन 'ज्ञ'

पढ़ो, अनुरेखन करो और लिखो। (Read, Trace and Write.)

Classwork

व्यंजन 'श-ज्ञ'

पढ़ो, अनुरेखन करो और लिखो। (Read, Trace and Write.)

श ष स ह

क्ष त्र ज्ञ

Homework

व्यंजन 'श-ज्ञ'

पढ़ो, अनुरेखन करो और लिखो। (Read, Trace and Write.)

श ष स ह

क्ष त्र ज्ञ

Classwork

श्रुतलेख (Dictation)

Homework

चित्रों को अक्षरों से मिलाओ। (Match the pictures to the letter)

	ष
	स
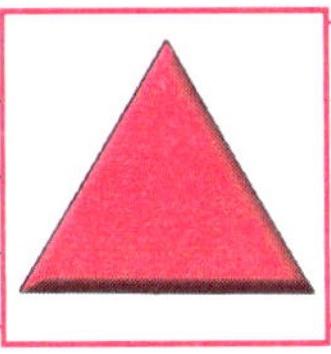	ह
	क्ष
	त्र
	ज्ञ

Classwork

व्यंजन 'ड़'

पढ़ो, अनुरेखन करो और लिखो। (Read, Trace and Write.)

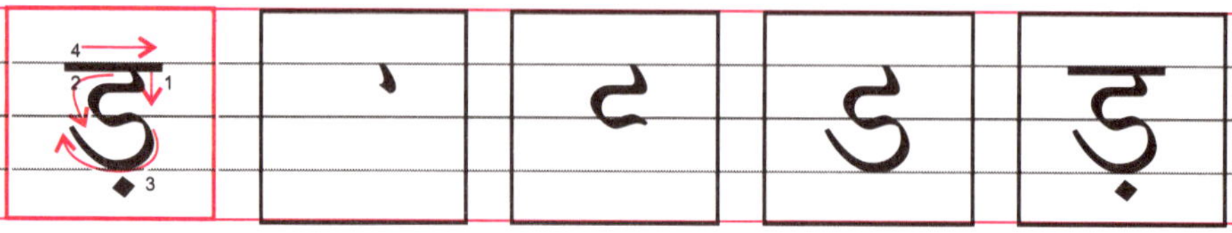

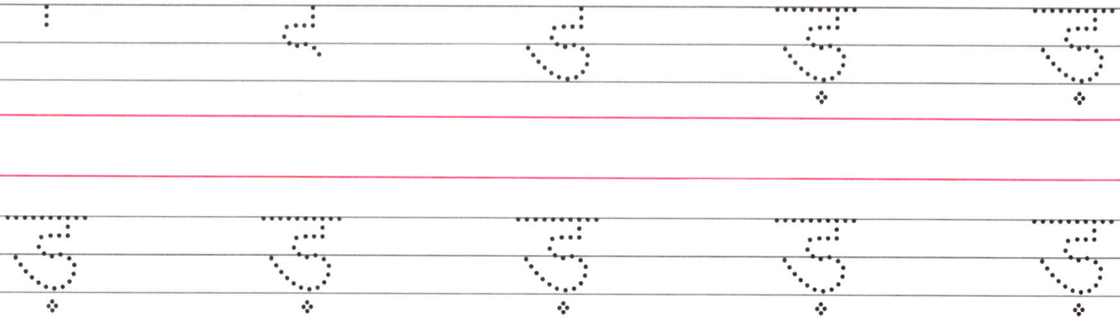

Homework

व्यंजन 'ड़'

पढ़ो, अनुरेखन करो और लिखो। (Read, Trace and Write.)

Classwork

व्यंजन 'ढ़'

पढ़ो, अनुरेखन करो और लिखो। (Read, Trace and Write.)

ढ़ ɩ ढ ढ़

Homework

व्यंजन 'ढ़'

पढ़ो, अनुरेखन करो और लिखो। (Read, Trace and Write.)

ढ़ ढ़ ढ़ ढ़ ढ़

ढ़ ढ़ ढ़ ढ़ ढ़

Classwork

व्यंजन 'श्र'

श्रमिक

पढ़ो, अनुरेखन करो और लिखो। (Read, Trace and Write.)

श्र	।	श	श्र	श्र

Homework

व्यंजन 'श्र'

पढ़ो, अनुरेखन करो और लिखो। (Read, Trace and Write.)

श्र श्र श्र श्र

श्र श्र श्र श्र श्र

Classwork

वर्णमाला

क से ज्ञ तक को उनके सही क्रम में लिखो। (Write all the letters in their correct order)

Homework

मूल्यांकन (Assessment)

/ 10

खाली स्थान भरो। (Fill in the missing letters)

क	____	ग	____	____
____	____	ज	____	____
ट	____	ड	____	____
____	____	____	____	न
____	फ	____	____	____

Classwork

शब्द बनाओ

दो अक्षरों वाले शब्द पढ़ो और लिखो। (Read and write)

ख + त = खत

न + ल = नल

ब + स = बस

घ + र = घर

र + थ = रथ

Homework

शब्द बनाओ

दो अक्षरों वाले शब्द लिखो। (Write the two letter words)

क + प = ______	च + ख = ______
फ + ल = ______	घ + र = ______
ध + न = ______	क + ह = ______
प + थ = ______	क + ब = ______
श्र + म = ______	च + ढ़ = ______

Classwork

वाक्य रचना

नीचे दिए गए वाक्यों को पढ़ो और लिखो। (Read and write the sentences given below)

सच कह।

डर मत।

जल भर।

घर तक चल।

अब यह फल चख।

Homework

वाक्य रचना

नीचे दिए गए वाक्यों को पढ़ो और लिखो। (Read and write the sentences given below)

श्रम कर।

कप रख।

घट भर।

रथ पर चढ़।

अब यह फल चख।

Classwork

शब्द बनाओ

निम्नलिखित तीन अक्षरों वाले शब्द लिखो। (Write the three letter words)

क + म + ल =

म + ट + र =

ब + त + ख =

क + ल + श =

न + य + न =

Homework

वाक्य रचना

नीचे दिए गए वाक्यों को पढ़ो और लिखो। (Read and write the sentences given below)

मदन घर चल।

रमन शहर चल।

कमल पर चरण मत रख।

Classwork

शब्द रचना

पढ़ो और लिखो। (Read and write)

उपवन शरबत

बचपन झटपट

अदरक बरगद

Homework

चार अक्षरों वाले शब्द

सही शब्द चुनकर वाक्य पूरे करो। (Select the correct word and complete the sentences)

१) रजत ______ कर। (कसरत/अजगर)

२) ______ पहन। (थरमस/अचकन)

३) ______ पर चढ़। (टमटम/झटपट)

४) ______ चख। (बरगद/शरबत)

५) ______ मत कर। (मरदन/गड़बड़)

Classwork

मूल्यांकन (Assessment)

10

चित्रों को देखकर नाम लिखो। (Look at the pictures and name them)

१) 

२) 

३) 

४) 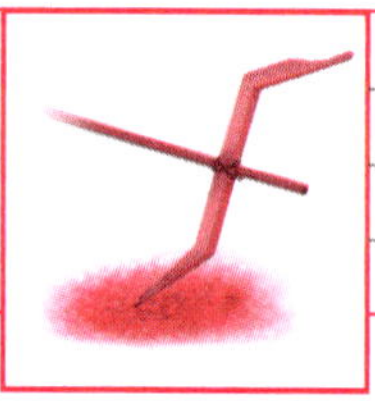

५)